Estelle Vendrame

Alerte aux espions !

bayard canada

Catalogage avant publication de Bibliothèque et Archives nationales du Québec et Bibliothèque et Archives Canada

Vendrame, Estelle, 1981-
Alerte aux espions!
(Œil de lynx)
Pour les jeunes de 8 ans et plus.
ISBN 978-2-89770-124-6
I. Titre. II. Collection: Collection: Œil de lynx.

PS8643.E544R36 2018 jC843'.6 C2017-941881-5
PS9643.E544R36 2018

Dépôt légal – Bibliothèque et Archives nationales du Québec, 2018
Bibliothèque et Archives Canada, 2018

Réimpression 2019

Direction éditoriale: Sylvie Roberge
Direction littéraire et artistique: Thomas Campbell
Révision: Sophie Sainte-Marie
Mise en pages et couverture: Marquis Interscript
Illustration de la couverture: Sabrina Gendron
Illustrations de l'intérieur: © Shutterstock

Nous reconnaissons l'appui financier du gouvernement du Canada.

Conseil des arts du Canada Canada Council for the Arts

Nous remercions le Conseil des arts du Canada de l'aide accordée à notre programme de publication.

Cet ouvrage a été publié avec le soutien de la SODEC. Gouvernement du Québec – Programme de crédit d'impôt pour l'édition de livres – Gestion SODEC.

Bayard Canada Livres
4475, rue Frontenac, Montréal (Québec) Canada H2H 2S2
edition@bayardcanada.com
bayardlivres.ca

Imprimé au Canada

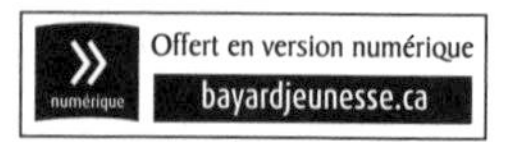

Tous mes remerciements à Yann, Hugo et Anna, qui ont fait aller leur imagination pour bâtir cette belle aventure, et à Emmy et Lohan, qui ont été bien patients avec leur (belle) maman quand elle écrivait au bord du lac, proche de la forêt…

Le départ pour le camp

C'est le grand jour ! Mes valises sont dans l'auto avec celles de mon frère Hugo et de ma demi-sœur Anna. En plus de mes vêtements, j'y ai placé tout ce qu'un campeur professionnel peut avoir : mon *walkie-talkie*, mes jumelles, un carnet de notes et mon couteau suisse. Hugo m'interpelle :

— À quoi tu rêves, Yann ? Tu vas nous mettre en retard.

— Dépêche-toi… s'impatiente Anna. J'ai hâte d'arriver.

Je me dirige vers la voiture sans répondre.

— Enfin… souffle Hugo. Une semaine sans les parents. On va avoir la paix !

Cette année, mon frère a suggéré d'aller camper avec son meilleur ami Malcolm. À treize ans, il se considère déjà comme un adulte. Son but était d'aller dans la forêt, de bâtir une cabane et de survivre en pêchant et en cueillant des bleuets sauvages pour se nourrir. Mais nos parents n'étaient pas d'accord avec son projet. Ils l'ont plutôt inscrit dans un camp de vacances. Il ne sera pas en mode survie, mais au moins il reviendra vivant de son aventure ! Au fond de lui, Hugo doit être content de ne pas devoir se battre avec un ours pour avoir son Nutella au petit-déjeuner.

Je me rappelle encore le jour où ma belle-mère nous a annoncé qu'il partait une semaine au camp. Elle nous a demandé, à Anna et à moi, si on voulait y aller aussi. Je n'étais pas très sûr, mais Anna a hurlé de joie, alors j'ai accepté. Je ne serais quand même pas le moins courageux ! Il faut dire qu'Anna semble n'avoir jamais peur de quoi que ce soit.

Me voilà maintenant en route pour ce fameux camp. Je suis un peu excité, mais également inquiet. À côté de moi, Anna n'arrête pas de parler :

— J'espère qu'on sera dans le même groupe. J'ai regardé le programme, il y a des activités différentes prévues chaque jour. Et il y a toujours un grand feu de camp le soir. Hugo, on pourra être avec toi !

Elle a droit à un grognement pour toute réponse. Cela ne l'empêche pas de poursuivre :

— Vous saviez qu'on devra se lever à sept heures et qu'on aura une demi-heure d'exercices avant le petit-déjeuner ?

— Et moi qui pensais faire la grasse matinée et me lever tard pour les vacances ! dis-je en soupirant.

Anna a dix ans, comme moi. On est dans la même classe et on fait nos devoirs ensemble. C'est sûr que, de temps en temps, elle m'énerve, notamment quand elle chante trop fort.

Mais on s'entend bien, surtout quand c'est pour jouer des tours aux petits de six ans : Lohan, mon frère, et Emmy, la sœur d'Anna. À cinq enfants à la maison, ça bouge et il y a du bruit. Voilà pourquoi je suis bien content de partir une semaine au camp. On va aussi y retrouver Malcolm ainsi que sa sœur Méli-Jade, une amie de notre classe.

Le trajet passe assez rapidement. Je suis perdu dans mes pensées. J'entends à peine Emmy et Lohan se disputer dans l'auto. Le chemin est maintenant en terre. Il serpente dans la forêt au milieu des arbres. C'est magnifique.

— Regardez ! crie Anna. Le lac est là ! On est arrivés !

Dès que nous sortons de la voiture, la directrice du camp nous mène vers notre moniteur. Il est plus âgé que les autres et n'a pas l'air heureux de se trouver là. Il se présente et nous dit de l'appeler Bagel.

— Et pour moi, ce sera un bagel au fromage à la crème ! chuchote Anna.

Nous commençons un fou rire discret, mais Bagel nous lance un regard furieux. Il est un peu bizarre. Tous les autres moniteurs semblent savoir exactement quoi faire, alors que lui agit toujours avec un temps de retard. Cela ne me surprend pas trop sur le moment. Je suis déjà bien content d'apprendre que nous sommes dans le même groupe que Méli-Jade. Hugo et Malcolm ne nous accordent plus d'attention. Je les vois s'amuser avec les autres ados. Heureusement que les parents leur ont dit de nous surveiller. J'ai l'impression que bientôt ils ne se rappelleront même plus qu'on existe.

Après le souper et le feu de camp, la directrice nous annonce que les filles doivent rejoindre le dortoir des Loutres, et les garçons, celui des Castors.

Je remarque autour de moi que les autres dorment, mais j'ai du mal à trouver le sommeil. Je pense aux activités de demain quand un bruit me fait sursauter.

Un étrange moniteur

La porte de la chambre s'entrouvre et une silhouette sort : c'est Bagel. Il doit probablement aller aux toilettes. Je me lève pour y aller également. En arrivant dans les salles de bains communes, je remarque que le moniteur n'est pas là. Je jette un coup d'œil par la fenêtre et j'aperçois une ombre sous le clair de lune, au bord du lac. Ce n'est vraiment pas un moniteur ordinaire. Pourquoi se balade-t-il la nuit en nous laissant seuls dans notre dortoir ?

Je retourne dans mon lit. J'attends longtemps dans le noir que Bagel revienne. Je m'endors une bonne heure plus tard, après m'être promis d'espionner notre moniteur demain avec Anna et Méli-Jade.

Le matin, je profite d'un moment libre pour me confier à mes amies, puis je les interroge :

— Qu'en pensez-vous ? Trouvez-vous cela normal ?

— C'est vraiment étrange ! commente Anna.

— Il avait peut-être seulement envie d'admirer le lac, fait remarquer Méli-Jade.

— C'est quand même très bizarre. C'est son travail de nous surveiller !

Nous n'avons pas le temps d'en dire plus, car Bagel arrive et annonce d'une voix forte :

— Préparez-vous, le groupe des Têtards, on part en balade !

Quoi ? Et pourquoi pas celui des Calinours ! C'est plus fort que moi, je lui demande :

— Bagel, Pourquoi on n'a pas choisi notre nom comme les autres ?

— Ah bon ? Je ne savais pas... Allez, on n'a pas une minute à perdre, nous devons marcher plusieurs kilomètres.

Anna me chuchote à l'oreille :

— C'est vraiment spécial qu'il ne connaisse pas cette tradition…

Je m'apprête à répondre quand Méli-Jade sort une feuille de sa poche :

— Ce n'est pas aujourd'hui, la promenade. Il est écrit sur le programme que l'on fait du tir à l'arc, ce matin.

Bagel devient tout rouge. On dirait qu'il va exploser. Il nous lance d'une voix assurée :

— C'est moi qui décide et j'ai choisi de faire la balade. Le programme ne sert qu'à donner des idées, c'est tout.

Nous prenons nos sacs et nos gourdes. Nous jetons un coup d'œil vers les autres groupes qui se dirigent vers le champ de tir à l'arc. Nous suivons Bagel en soupirant.

Il marche rapidement en regardant autour de lui, sans nous prêter attention. On dirait qu'il nous a oubliés. Son comportement devient de plus en plus intrigant. Il sort de son sac une grande carte de la région sur laquelle il a tracé des lignes. Il nous entraîne dans une direction et ne s'occupe pas vraiment de savoir si on le suit.

Une fille du groupe gémit :

— Bagel, tu vas trop vite, on est fatigués.

Surpris, il se retourne et répond :

— Vous dormirez ce soir, on a une longue marche devant nous. On a beaucoup de choses à faire aujourd'hui. Il faut se dépêcher.

Méli-Jade et Anna se regardent.
Je les questionne :

— De quoi parle-t-il ? Est-ce que c'est écrit sur le programme, Méli-Jade ?

— Non... pas vraiment. Il est seulement inscrit que l'on fait une randonnée avec tous

les groupes, le dernier jour. C'est injuste, on manque le tir à l'arc.

À grandes enjambées, elle s'approche de Bagel et demande :

— Demain, on doit pêcher dans le lac. On va y aller ?

Le moniteur s'arrête, lève un sourcil et marmonne :

— De la pêche ? Vraiment ? Je ne sais pas si l'on aura le temps.

Il se retourne et reprend sa marche d'un pas militaire.

Cette pensée m'en inspire une autre. Je dis à mes amies :

— On se croirait dans un camp d'entraînement de l'armée.

Cela ne fait même pas sourire Anna. Je sais qu'elle aime la pêche. Elle doit être déçue du programme de demain. Nous ne parlons

plus, car le rythme auquel nous soumet Bagel commence à nous essouffler.

Une petite voix s'élève au bout d'une heure :

— Bagel, on peut faire une pause ?

Il ne semble pas réfléchir et il répond :

— Non, on n'a pas le temps.

Je n'aime pas du tout ce moniteur !

Bagel s'arrête devant un petit chalet. Il propose enfin une pause. Il se dirige vers une dame qui arrose ses plantes et il commence à lui parler. Je me rapproche pour écouter quelques bribes de la conversation. Il est question d'électricité dans la région et de réseau Internet.

Je m'inquiète un peu. On est peut-être perdus et il n'a pas de GPS. Je pense alors à la boussole que j'ai emportée, et cela me rassure. J'observe Bagel. Il sort sa carte, trace d'autres lignes avec son crayon et nous annonce que nous repartons.

Méli-Jade s'approche de moi et commente :

— Je le trouve vraiment bizarre. On demande une pause, il n'est pas d'accord. Il en fait ensuite une sans nous prévenir et, maintenant, on repart pour une destination inconnue. Il ne nous fait même pas chanter des chansons en marchant. On dirait que c'est la première fois qu'il participe à un camp d'été !

Anna l'interrompt :

— Mais oui, c'est ça ! Ce n'est sûrement pas un moniteur ! Depuis le début, il ne fait rien comme les autres.

Cela m'inquiète un peu :

— Mais alors qu'est-ce qu'il fabrique ici ?

Anna reprend d'un air déterminé :

— Il faut s'assurer que c'est un éducateur. Il n'y a qu'une solution pour le savoir : fouiller dans ses affaires.

La fouille des valises

Assis dans la grande cafétéria, le groupe des Têtards ne bouge plus. On aurait dû s'appeler « les Lézards » ! Nous sommes épuisés par notre longue marche en forêt. On ne s'est presque pas arrêtés, sauf quand Bagel croisait quelqu'un. Il posait alors des questions étranges sur leurs voisins. On est trop fatigués pour être en colère et se plaindre à la directrice du camp. De toute façon, elle n'a pas l'air très aimable et elle fait un peu peur aux enfants.

Notre repas de ce soir n'est pas très appétissant. Une tranche de viande nage dans notre assiette. Elle baigne dans son jus et espère atteindre le brocoli solitaire au sommet de la montagne de macaronis...

Anna me sort de mes pensées en chuchotant :

— C'est le moment. Bagel est occupé.

— Et puis ?

— Eh bien... On avait décidé de fouiller dans sa valise. Tu as oublié ?

Elle veut vraiment faire ça ! Je n'ai pas envie qu'il s'en aperçoive. Il est bien capable de nous envoyer marcher toute la nuit dans le bois. Ou, pire, il peut nous obliger à laver à la main les vêtements de tout notre groupe ! Je réponds à ma demi-sœur :

— OK, les filles, je vous laisse y aller. Je surveille Bagel.

— Pas question ! dit Méli-Jade. Je m'occupe de lui. Tu es le seul à savoir où est son lit dans le dortoir des gars. Vas-y avec Anna.

— Et comment tu vas t'y prendre pour être certaine que Bagel ne viendra pas ? Je ne veux pas qu'il me surprenne !

— S'il quitte la pièce, je vais faire semblant de m'évanouir en criant son nom.

Je ne suis pas convaincu de ce plan, mais je n'ai visiblement pas le choix. Je m'esquive discrètement avec Anna en direction des toilettes, tout en jetant un coup d'œil vers Bagel. Il ne nous voit pas. Il a l'air très concentré sur son assiette de pâtes.

Je repère Hugo un peu plus loin, à sa table d'ados. Il a deux macaronis dans les narines. Il fait rire tous ses amis en respirant par le trou des pâtes. Qu'ai-je fait pour avoir un frère aussi bête ? Son groupe ne doit pas s'appeler « les Têtards » ! Je suis sûr qu'ils ont choisi un nom bien plus *cool* : les Zombies volants ou les Loups sanguinaires. Dans notre cas, j'aurais même préféré les Escargots de compétition.

Je n'ai pas le temps de réfléchir davantage, car Anna me demande :

— Qu'est-ce que tu fabriques ?

Elle est déjà en haut de l'escalier. Je la rejoins.

— Alors où se trouve son lit ?

Je lui montre l'espace de Bagel et elle se dépêche d'ouvrir la minuscule table de nuit en bois. Il n'y a rien dedans. Je suis un peu déçu. Anna prend la valise du moniteur et commence à fouiller à l'intérieur. Elle brandit avec dégoût des caleçons verts au motif d'araignées orange.

— Beurk… on ne sait même pas si c'est propre ou sale. En plus, c'est ultra-moche. Comment peut-on mettre ça ? À ton tour. Ce sont des affaires de gars.

Je m'approche à contrecœur. Je déteste fouiller dans les sacs des autres. Je me croirais

dans *Fort Boyard* avec une main dans un bocal rempli de bestioles venimeuses et non dans des habits... Bon, c'est peut-être un peu exagéré, mais avec un moniteur qui porte de tels sous-vêtements, on peut s'attendre à tout !

Il n'y a rien d'intéressant ici à part des chandails, des bas et des caleçons.

— On y va, on s'est trompés. Viens, on redescend avant que Bagel se doute de quelque chose.

— Cherche encore, dit Anna. Je suis sûre que ce gars est bizarre.

Soudain, ma main accroche une fermeture éclair sur le côté de la valise. Il y a quelque chose de dur à l'intérieur de la pochette. Je l'ouvre et je sors de petites boîtes noires.

— Qu'est-ce que c'est ? me questionne ma demi-sœur.

Je regarde l'objet sans comprendre de quoi il s'agit. J'ai alors une illumination :

— Je crois que ce sont des émetteurs-récepteurs. Mon frère m'en a déjà montré sur Internet. C'est comme un micro qui enregistre tout ce qu'il y a dans la pièce. Avec le récepteur, tu peux entendre tout ce qui se dit. Et voilà une puce électronique que tu mets dans un cellulaire pour enregistrer les conversations.

On se regarde et on commence à paniquer. Une personne normale ne se promènerait pas avec du matériel aussi sophistiqué. Et si Bagel était un criminel ? À moins qu'il soit un agent secret ? On pensait que notre moniteur était étrange, mais, là, on a la preuve qu'il fait des activités louches. Nous rangeons vite la valise et nous descendons l'escalier qui mène à la cafétéria.

On jette un petit coup d'œil vers les moniteurs près de la fenêtre. Bagel est toujours absorbé par sa nourriture. Méli-Jade semble impatiente d'en savoir plus. En revenant vers notre table, nous passons à côté d'Hugo qui chuchote :

— Ça va, Têtard ?

Zut ! il est au courant de notre nom. Il ne manquait plus que ça. Je lui réponds en le regardant dans les yeux :

— Tu as un problème, Crapaud ?

— Oh là là, le jeune est susceptible. Tu peux m'appeler « Génération 2.0 ».

— C'est quoi, ça ?

— Eh bien, c'est notre nom de groupe… Bien plus *cool* que le tien. Cherche un peu et tu comprendras, petit batracien.

Sur ces paroles, il poursuit son chemin d'un air satisfait.

Le mystérieux appel

Je me réveille après avoir passé la pire nuit de ma vie. Dans mon rêve, j'étais non seulement un têtard géant, mais un agent secret m'avait enfermé dans un bocal pour le vendre à mon ancienne enseignante. Je voyais les yeux de mes amis me regarder au travers de l'eau, ainsi que le chat de notre classe avec son air gourmand. Ce matin, je me suis levé très fatigué avec une seule envie : me recoucher. Bagel nous annonce malheureusement que nous retournons dans la forêt.

— Ce n'est pas juste ! s'écrie Anna. On devait aller à la pêche !

Malgré notre découverte d'hier, elle ne semble pas avoir peur de notre moniteur.

L'impitoyable Bagel lui répond :

— On ira un autre jour. Préparez-vous pour la randonnée !

Et nous repartons avec nos sacs à dos et nos gourdes. Nous jetons un regard vers les autres qui sortent leurs cannes à pêche. Nous nous enfonçons dans l'épaisse forêt. Bagel a encore le nez dans sa carte. Il avance sur les sentiers et il observe les chalets. Et nous, misérables têtards, nous devons suivre notre chef crapaud.

J'ai l'impression que nous marchons depuis des heures dans cette forteresse végétale où les arbres touchent le ciel. Des lianes veulent s'enrouler à nos pieds, et des branches nous griffent le visage avec un petit sifflement moqueur. Des ennemis invisibles nous dévorent les bras et les jambes dans un vrombissement incessant… J'ai soif et j'en ai marre. Je voudrais de vraies vacances en famille et ne plus être dans ce camp de marche à pied !

Bagel regarde sa montre comme s'il avait entendu mes plaintes silencieuses. Il lève une main et annonce la pause, en rugissant comme un lion.

La forêt fait place à une clairière. Un petit ruisseau borde le côté droit. Les moustiques semblent moins présents ici. Il ne doit sûrement plus rester une goutte de sang dans mon corps tellement ils en ont bu !

On s'assoit par terre pour déballer notre lunch. Bagel nous dit :

— Bon appétit. Soyez sages, je vais en repérage pour tout à l'heure et je reviens.

Je regarde Méli-Jade et je vois bien qu'elle pense la même chose que moi. Un moniteur ordinaire ne nous aurait pas laissés seuls au milieu du bois. Les autres n'ont pas l'air de remarquer que Bagel agit bizarrement. C'est vrai qu'ils ignorent qu'il cache des émetteurs et toute sorte d'objets étranges dans sa valise.

Je m’assois discrètement à l’écart avec Anna et Méli-Jade.

Cette fois-ci, je prends l’initiative :

— On le suit ? Il est peut-être en train de nous abandonner.

— Oui, répond Méli-Jade. Il est peut-être aussi parti rejoindre ses complices.

— Ou chercher un trésor, complète Anna. On ne sait jamais. Allez, on y va !

Nous empruntons le même chemin que Bagel, en silence. Il avance assez vite, mais on peut le suivre, car les feuilles se plient sur son passage. Il faut juste éviter de faire craquer les branches en marchant. Soudain, notre moniteur s’arrête et sort quelque chose de sa poche. On ne peut pas aller plus loin sans se faire repérer. Il commence à parler. C’est le moment de s’approcher en marchant plus vite. Cela semble un peu plus risqué à cause du bruit des feuilles mortes, mais, comme il parle au téléphone, il sera moins attentif. Nous avançons le plus possible, puis nous nous cachons derrière un grand arbre.

Zut ! nous ne sommes pas assez près pour entendre la conversation. Nous saisissons toutefois quelques mots :

— … pas encore… non… émetteurs… fixés… identité… rançon…

À ce dernier mot, je me tourne vers les filles.

— Rançon ? chuchote Méli-Jade. Ça veut dire quoi ?

Anna lui répond :

— C'est quand on enlève une personne et qu'on demande de l'argent en échange pour la rendre… vivante de préférence…

Elle a compris comme moi que, cette fois-ci, ce n'est plus un jeu. Notre moniteur est un criminel !

Méli-Jade est tellement surprise qu'elle fait un pas en arrière. Elle se coince la jambe dans une liane et tombe par terre. Le bruit attire l'attention de Bagel. Il se dirige droit sur nous. Nous tentons de nous enfuir dans la forêt en nous séparant. Anna prend une direction, Méli-Jade une autre, et moi une troisième. Il ne pourra pas tous nous attraper !

Bagel court malheureusement vers moi. J'emprunte des virages ainsi que des chemins plus difficiles, mais il me rejoint. Il tend le bras et me saisit. J'ai peur, car il a l'air vraiment en colère :

— Tu m'espionnes ?

— Non, je passais juste par là.

— J'avais demandé de rester dans la clairière. Qu'as-tu entendu ?

— Rien, je le jure.

— J’espère ! J’avais donné des consignes. Retourne jouer avec les autres et sois tranquille.

Un dangereux moniteur

Je retourne en courant vers Anna et Méli-Jade qui m'attendent dans la carrière. Je leur résume mon échange avec Bagel.

Anna conclut :

— C'est un kidnappeur d'enfants, c'est sûr. Un jour, il va tous nous enlever avec ses complices et demander une rançon à nos parents.

Méli-Jade renchérit :

— C'est certain. Ce soir, il faudra avertir Malcolm et Hugo. On ne peut pas en parler à la directrice, elle ne nous croira pas.

Bagel revient vers notre groupe et nous dit d'un air satisfait :

— Allez, les enfants, on rentre au camp. Avez-vous oublié qu'aujourd'hui nous allons pêcher ?

Ça alors ! Il veut maintenant suivre le programme. Je regarde Anna et je vois qu'elle est aussi surprise que moi de cette décision.

Notre repas du soir est pire que celui d'hier. Les spaghettis ont un goût de céréales périmées et de tomates pas assez cuites. Après avoir mangé, tous les enfants se dirigent vers le feu de camp. Tout le monde semble excité. Les moniteurs font une pyramide de bûches qui sera enflammée à la nuit tombée. Un groupe s'entraîne avec des guitares. Je me demande si Anna va chanter, vu que rien ne paraît l'intimider. De mon côté, je me contenterai de regarder. Il y aura peut-être aussi des jeux ?

Je cesse d'y penser, car il faut que je me concentre pour trouver Hugo. Il doit

encore faire le clown pour épater les filles. Je le repère en train de courir avec un paquet de guimauves sur la tête, qu'il a probablement volé à la cuisine. J'essaie de l'arrêter, mais il ne m'accorde pas beaucoup d'attention. J'arrive enfin à m'approcher de lui et je chuchote :

— Hugo, il faut que je te parle.

— Je n'ai pas de temps à perdre avec les Têtards, me répond-il.

Cela fait immédiatement rire tous ses amis. Je le fixe de mon regard le plus perçant et j'insiste :

— Hugo, c'est important !

Il semble comprendre que quelque chose n'est pas normal. Il lance le sac de guimauves en l'air, et dix mains se tendent pour l'attraper. Mon frère me suit avec Malcolm. Nous nous approchons de Méli-Jade et d'Anna.

— J'espère que vous avez une bonne raison de me déranger, les Têtards, râle Hugo. Je ne voudrais pas manquer ma ration de guimauves près du feu.

— Avez-vous remarqué notre moniteur ? commence Anna.

— Eh bien, oui. Il est grand et il ne sourit jamais.

— C'est un kidnappeur d'enfants ! s'exclame Méli-Jade d'un ton tranchant.

Les plus vieux ont alors une réaction que je n'avais pas prévue. Ils éclatent de rire. Malcolm répond à sa sœur :

— N'importe quoi ! On est dans un camp. Il ne va pas vous enlever.

Je dois les convaincre de rester, car ils vont repartir manger leur dessert qui est bien plus intéressant que nous.

— Écoutez, il ne suit pas le programme et il ne nous surveille pas vraiment. On marche

toute la journée dans la forêt. Il cache des émetteurs-récepteurs dans sa valise.

— Quoi ? m'interrompt Hugo. Comment le savez-vous ? Vous l'avez fouillée ?

— Euh... oui... un peu... répond Anna, gênée. Il y a aussi des puces téléphoniques.

— Ça alors... commente Malcolm en nous regardant d'un œil admiratif. Je n'aurais pas cru que vous aviez ce courage.

J'interviens, un peu vexé :

— Ce n'est pas tout. On l'a suivi et on a entendu un de ses appels. Il parlait de rançon.

Je vois bien qu'on commence à les intéresser.

— Raconte-moi tout, me demande mon frère.

Je reprends toute l'histoire depuis le début. Il y a un grand silence, puis Hugo me questionne :

— Il a bien parlé de rançon et d'identité ?

— Oui.

Hugo et Malcolm se regardent en faisant un drôle d'air. Mon frère lui dit :

— Qu'en penses-tu ? Si on assemble ces deux mots, il ne peut y avoir qu'une solution, non ?

— Oui, répond Malcolm. Je ne pense pas que Bagel ait prévu de vous enlever. Par contre, il pourrait être un cybercriminel.

— Pourquoi ? demande sa sœur d'une petite voix.

— Il interroge tout le monde au sujet de réseau Internet, il a du matériel sophistiqué dans sa valise. Ce doit être pour voler l'identité de quelqu'un et exiger une rançon en échange.

Je n'y avais pas pensé une seconde.

— Comment sais-tu tout cela, Malcolm ?

— Dans mon cours d'informatique, nous avons eu une activité sur les logiciels de vols de données. On les implante dans ton ordinateur, on crypte tous tes fichiers et ensuite tu dois payer une somme en bitcoins pour pouvoir les récupérer.

— Des bitcoins ?

— Oui, la monnaie d'Internet. Ça permet à la police de ne pas te retrouver et tu peux acheter des choses interdites comme des armes ou de la drogue.

Malcolm et Hugo étudient en concentration informatique au secondaire. Ils connaissent bien le sujet. Notre affaire devient de plus en plus mystérieuse.

À la recherche du mystérieux chalet

Mon frère a alors une réaction inattendue :

— Qu'est-ce qui nous prouve que votre histoire est vraie ? Vous auriez très bien pu tout inventer.

— Oui, renchérit Malcolm. Qui pourrait faire du piratage informatique dans un camp ?

Ils se remettent à rire et commencent même à s'éloigner. Tout est perdu. Ils ne nous aideront pas. Anna les rattrape et leur barre le passage. Elle tend le poing vers eux et l'ouvre doucement. Hugo se redirige vers nous en voyant ce qu'il y a dedans.

— Où l'as-tu trouvé ? demande-t-il.

Anna nous explique :

— Je me suis doutée qu'ils ne nous croiraient pas. J'ai donc apporté une petite preuve. Bagel pensera l'avoir perdue.

Elle nous montre alors une puce qu'elle a prise dans la valise de notre moniteur. Quel courage ! Je n'aurais jamais osé faire ça.

Hugo réfléchit un moment avant de proposer :

— On n'a pas de téléphone pour appeler la police ni de voiture. La directrice ne nous croira pas si nous n'avons pas d'autres preuves. Elle semble adorer Bagel et discute avec lui dès qu'elle a du temps libre. On doit découvrir le reste du groupe de cyberpirates. Bagel ne peut pas être seul, il doit avoir une base.

J'interviens :

— Ça va être dangereux.

— Ne t'inquiète pas, Têtard. On va être discrets et on est cinq.

Je ne relève même pas sa provocation. En plus, c'est facile à dire, de ne pas se faire de souci. Je n'ai aucune envie de me mesurer à une troupe de cinq ou de dix Bagels !

— Quel est votre plan ? demande Anna.

— Je ne sais pas trop... lui répond Hugo.

— On pourrait tous chercher un chalet qui nous paraît bizarre, propose Méli-Jade.

— Oui, ajoute Hugo, excellente idée ! Il doit y avoir Internet et l'électricité.

Méli-Jade remarque :

— Mais il n'y en a pas ici. J'ai entendu une dame le dire à Bagel.

Malcolm semble tellement concentré que je ne serais pas surpris de voir de la fumée sortir de ses oreilles. Après un court silence, il propose :

— Ils ont sans doute découvert un moyen d'avoir tout cet équipement... On regarde tout ce qui n'est pas ordinaire et on se retrouve ici, demain soir, à la même heure.

— Oui, c'est un bon plan ! conclut Hugo.

Nous terminons notre discussion pour nous diriger vers le feu. Les équipes se forment pour faire des jeux. Je choisis un atelier d'histoires de peur, car mon imagination est plus débordante que jamais. Anna rejoint le groupe de chant, tandis que Méli-Jade participe à un concours de course d'embûches nocturnes.

Le repaire des pirates informatiques

Le lendemain matin, Bagel nous emmène encore en randonnée. Méli-Jade ne prend pas la peine de lui rappeler que c'est une activité de canot qui avait été prévue. Je remarque que les autres enfants commencent à se poser des questions. Bagel se veut rassurant. Il nous explique que nous sommes dans un groupe à part, mais que demain nous aurons un accès exclusif au lac. Nous pêcherons en bateau toute la journée pendant que le reste du camp sera en randonnée. Cela semble satisfaire mes amis, même si c'est encore un mensonge.

Aujourd'hui, nous avons une mission précise. Hugo et Malcolm nous ont demandé

de repérer des chalets anormaux. Je prends mes jumelles et, avec mes deux amies, nous nous glissons en arrière du groupe. Nous examinons tous les chemins.

— C'est décevant, râle Anna. On ne voit que des arbres ! Comment va-t-on faire pour découvrir un repaire de pirates informatiques ?

Elle a raison. On n'aperçoit rien d'autre que des pins et des érables. Le seul bruit est celui d'une multitude de moustiques assoiffés de sang !

Nous poursuivons à voix basse notre discussion, un peu en retrait du groupe.

— Pourquoi se cacheraient-ils ici ? demande Méli-Jade.

Je lui réponds :

— Comment veux-tu qu'on les trouve dans cette forêt ? Si Hugo et Malcolm ont raison, ils sont sans doute indépendants sur les plans de l'électricité, de l'eau et du reste.

Personne ne peut soupçonner leur présence. Ce n'est qu'un chalet parmi d'autres, sans voisins autour.

— Je pensais que les pirates informatiques vivaient dans des pays étrangers, dit Anna.

— À mon avis, ils sont partout.

— Mais pourquoi on marche en forêt ? interroge Méli-Jade. Ça n'a pas de sens.

Mon amie marque un point. Que cherche Bagel ? Il ne veut peut-être pas rester avec les autres moniteurs du camp.

— C'est la dernière journée où je suis Bagel, grogne Méli-Jade. Après, je m'en moque. Je change de groupe et je vais faire du canot et du tir à l'arc.

Personne ne répond. Nous préférons économiser notre souffle à cause du chemin abrupt. Soudain apparaît une vue panoramique de la région, au détour d'une courbe. Notre effort est enfin récompensé. Je me tourne vers Bagel. Je vois une lueur d'intérêt dans son regard pendant qu'il accorde généreusement une pause au groupe avant de s'éloigner.

Je sors mes jumelles pour observer le paysage. Je scrute chaque centimètre à la recherche d'un indice.

— Comme c'est beau ! s'émerveille Méli-Jade. On voit notre lac, là-bas.

— Regarde ! Quelque chose brille de l'autre côté ! s'exclame Anna.

— Oui, je le vois, moi aussi, confirme Méli-Jade.

Ce n'est pas évident de bien positionner les jumelles, mais, pendant un bref moment, j'aperçois une lueur. Je retourne lentement en arrière.

— Oui, vous avez raison. On dirait un reflet du soleil sur un grand carré. Attendez… il y a même un chemin de terre…

Je n'ai pas le temps d'ajouter quoi que ce soit, car Méli-Jade s'emballe :

— C'est ce que mon frère pensait ! Ce sont sans doute des panneaux solaires. Le soleil doit se refléter dessus. Passe-moi les jumelles !

Elle cherche quelques minutes afin de repérer les panneaux. Elle promène lentement les jumelles et nous décrit ce qu'elle voit :

— C'est un chalet avec un très grand panneau. Et il y a un poteau, blanc également, derrière un arbre.

C'est au tour d'Anna de prendre les jumelles :

— Ça ressemble à une haute antenne. Elle est sûrement pour Internet, comme Hugo l'a dit.

Nous avons enfin une preuve concrète. Un bref coup d'œil derrière moi me confirme que personne ne fait attention à nous.
Les autres sont trop occupés avec la collation.

Bagel inspecte également l'horizon, mais il n'est pas aussi bien placé que nous pour voir notre découverte.

Méli-Jade sort un papier de sa poche et me le tend. Elle sait que j'ai appris à tracer des plans en m'entraînant sur Minecraft. J'aime bâtir des maisons comme un architecte. En plus, j'ai tellement utilisé ma boussole sur le terrain de golf derrière chez nous que je suis capable d'indiquer sans hésitation les coordonnées de l'endroit où je suis. Je fais donc un dessin du chalet par rapport au lac et au camp de vacances.

Le soir, je n'ai pas besoin d'attirer l'attention d'Hugo. Il se dirige rapidement vers moi au moment du temps en commun :

— Et puis ? Avez-vous trouvé quelque chose d'intéressant ?

Je réponds avec prudence :

— On a une piste.

Il m’entraîne dans un endroit à l’écart. Les autres nous rejoignent.

— Raconte !

— On a découvert un chalet muni de panneaux sur le toit. Ils ressemblent à des panneaux solaires et…

— Oui, me coupe Anna. Il y en a bien plus que pour un simple chalet. Ce n’est pas normal.

— Il y a aussi une grande antenne blanche qui part du sol et qui est plus haute que le chalet, ajoute Méli-Jade.

— C’est sûrement pour Internet ! s’exclame Malcolm, enthousiaste.

— Le problème, c’est qu’on ne sait pas comment s’y rendre, précise Hugo.

Je sors mon plan pour le donner à mon frère.

— Wow ! C’est une bonne idée ! s’écrie-t-il.

Ce doit être la première fois que j'ai droit à un compliment de sa part. Il grogne quand même :

— Mummm... mais comment trouver l'endroit exact ?

— Ce n'est pas si compliqué, répond Malcolm. Tu prends les coordonnées de la carte de Yann et tu ajoutes celles du camp. Après, tu triangules la région pour situer le repaire des pirates !

— Quoi ? s'étonne sa sœur. Quelle langue parles-tu ? Tu viens d'inventer un verbe ?

Malcolm grimace :

— C'est ça, être le *boss* des maths ! Quand tu seras au secondaire, tu apprendras à diviser une carte, petite *Têtarde*.

— Pff ! répond Méli-Jade. Si c'est pour être aussi bête que toi, je n'ai pas envie d'y aller. En plus, tu inventes des mots. On dit « têtard », même pour les larves femelles de grenouille !

Malcolm se moque de sa sœur en imitant l'animal. Cela détend l'atmosphère et nous fait rire tous les cinq.

Je m'éloigne pour aller chercher ma boussole dans mon sac.

Un pédalo dans la nuit

À mon retour, Hugo a tracé un plan qui comprend le lac, le chalet, le lieu d'où on l'a observé et le camp de vacances. Il inscrit les coordonnées du promontoire où l'on était, puis il me regarde pour que j'indique les coordonnées. Je me concentre, les lis et les lui donne. Il les ajoute sur la carte et la tend à Malcolm, qui se penche sur le plan et commence sa triangulation. Il arrive à estimer où est situé le chalet grâce aux deux autres coordonnées.

— Mais pourquoi ne prendrait-on pas les jumelles pour regarder l'autre rive du lac ? questionne Anna. Il me semble que le chalet n'était pas loin du bord.

Je prends ma boussole et je trouve la direction de la carte en suivant les indications de Malcolm. C'est difficile, car il n'y a pas beaucoup de luminosité. J'ai beau regarder dans tous les sens avec mes jumelles, je ne vois rien. Hugo s'impatiente. Je lui tends les jumelles avant qu'il me les arrache des mains. Il regarde à son tour, et le temps me semble long. Je suis suspendu à ses gestes. D'un coup, il murmure :

— Oui... c'est ça... je vois un chalet avec un toit brillant. Il n'est pas directement au bord de l'eau, mais un peu caché par des arbres. Si l'on est bien attentif, on peut voir une antenne sur le côté. Je suis sûr que c'est celui que l'on cherche.

— Et maintenant, on fait quoi ? demande Méli-Jade.

Hugo répond avec un grand sourire :

— On y va, bien sûr !

Je m'étrangle et je dis d'une voix rauque :

— Quoi ? Tu es fou ?

— Pas du tout. On va juste voir. On rapporte une preuve et on en parle après à la directrice du camp.

— Et on part quand, monsieur Je-sais-tout ?

— Rendez-vous en bas de l'escalier du dortoir quand tout le monde dort. On verra par la suite.

Je n'ai pas le temps de répliquer, car les animateurs nous appellent. Hugo nous quitte avec un clin d'œil. J'ai le frère le plus fou de la terre !

Je suis dans mon lit. J'ai envie de plonger dans un sommeil profond. Mais à cause d'Hugo, je dois attendre que les autres soient endormis pour aller exécuter un plan idiot. Les minutes semblent des heures. Je me suis mis en pyjama pour ne pas éveiller les soupçons. Au bout d'un moment, tout le monde dort.

Je m'habille discrètement sous les draps, puis je prends mon sac. Je place un oreiller dans mon lit et je tire les couvertures dessus pour faire croire que je suis encore là. Je m'éloigne en silence. Je descends l'escalier sur la pointe des pieds. Mes amis sont déjà arrivés. Sans un mot, Hugo commence à se diriger vers la porte. Il tourne doucement la poignée, mais elle est fermée. C'est sûr, on ne peut pas quitter un camp de vacances aussi facilement.

— On peut passer par la sortie de secours ? chuchote Anna.

C'est une bonne idée. On la suit jusqu'à l'arrière du camp. Il y a une porte équipée d'une barre. Je m'apprête à la pousser quand Méli-Jade attrape mon bras et me tire en arrière. Je la fixe sans comprendre. Elle me montre une pancarte : *Sortie de secours seulement. Si cette porte est ouverte, l'alarme se déclenchera.*

Ouf ! j'ai eu chaud. Un peu plus et je réveillais tout le camp. Nous sommes à court d'idées, mais Malcolm dit tout bas :

— Je pense savoir comment désactiver la porte. J'ai vu quelque chose comme ça sur YouTube. On essaie ?

Un peu inquiète, Méli-Jade lui demande :

— Une vraie vidéo éducative ?

Son frère répond avec un petit rire :

— Tu rigoles ? J'ai vu un youtubeur faire une blague à quelqu'un, c'était vraiment drôle. Je vais juste essayer de l'imiter. Sinon avez-vous autre chose à proposer ?

On se regarde, mais personne ne sait comment désactiver la porte. Il semble qu'on n'a pas le choix de prendre un risque.

— Quelqu'un a un tournevis ? reprend Malcolm.

Je sors mon couteau suisse de ma poche en disant :

— Tiens ! Il doit y en avoir un dedans.

Malcolm l'ouvre et passe à l'action en nous expliquant ce qu'il fait :

— Je dévisse le capteur du cadre de la porte. Il faut que je le colle avec un aimant pour que le circuit électrique reste fermé. Zut ! qui a un aimant ?

Un chalet bien branché

On se tourne tous vers Anna, qui transporte toujours une multitude de choses bizarres dans ses poches. Notre petite sœur Emmy y met tout le temps des trucs en cachette. Elle étale sa collection par terre. On y trouve un aimant de frigo, souvenir du dernier voyage dans le Sud de notre grand-mère. C'est dommage de casser la belle décoration, mais on n'a pas le choix.

On arrive à décoller l'aimant, et Malcolm le place à l'endroit désigné. Selon lui, on peut ouvrir la porte sans déclencher l'alarme. On se regarde avec un doute dans les yeux, et Hugo la pousse doucement… Elle s'ouvre sans bruit.

Je pense à caler un bout de bois pour qu'elle ne se referme pas.

On court dans la nuit en suivant Hugo. Je me demande bien ce qu'il a encore inventé ! Il se dirige vers un pédalo.

— Voici notre limousine ! dit-il.

Je n'en crois pas mes yeux. Il veut vraiment qu'on pédale en pleine nuit sur ce lac noir. Je fais remarquer :

— On ne peut pas l'utiliser, il a un cadenas.

Mon frère sort une clé de sa poche et il annonce fièrement :

— J'ai pensé à tout ! Je suis allé la chercher dans le bureau de la directrice !

Me voilà embarqué dans une drôle d'aventure. Nous enfilons nos gilets de sauvetage et nous mettons le pédalo à l'eau. Il n'y a que quatre places. Malcolm décide :

— Je vais pédaler avec Hugo. Les filles, installez-vous en arrière…

Avant qu'il finisse, je lui coupe la parole :

— Et moi, je reste ici pour avertir quelqu'un si ça se passe mal ?

— Pas du tout, me répond-il. Toi, tu t'assois sur la glacière et tu nous guides avec ta boussole.

Je monte en équilibre sur le pédalo et, pendant que nous quittons le bord, j'aligne les aiguilles dans la direction que nous avons calculée.

Il n'y a pas de bruit sur le lac, à l'exception de quelques grenouilles qui coassent. Pas de vent, non plus. L'eau est noire, et je n'en mène pas large, perché sur la glacière du pédalo. Heureusement que la lune nous éclaire. Cela me permet de regarder ma boussole. Je ne suis pas très sûr d'arriver au point que nous avons décidé, mais je ne veux pas décevoir les autres. Je me concentre en essayant de ne pas penser à des choses inquiétantes. J'espère qu'aucun monstre marin ne jaillira du lac pour nous engloutir. J'ai vraiment trop d'imagination.

— Alors, Yann, on va où ? s'informe mon frère.

Je lui indique la bonne direction.

— Encore un peu à gauche. Maintenant, c'est en ligne droite jusqu'à la rive.

Malcolm et Hugo se remettent à pédaler, sans parler. Nous sommes au milieu du lac. Ce n'est pas le moment de tomber à l'eau. Anna et Méli-Jade se taisent. Je me demande si elles ont peur. Perdu dans mes pensées, je ne me suis pas rendu compte que l'on arrivera bientôt sur la rive. Je regarde encore une fois ma boussole pour m'assurer des coordonnées, puis je dis à Hugo :

— Je crois que c'est ici. Il y a une petite plage où l'on peut accoster.

Les manœuvres semblent difficiles pour Hugo et Malcolm. Anna intervient :

— On devrait cacher le pédalo. Si quelqu'un le vole, on ne pourra plus revenir.

— Personne ne va venir ici en pleine nuit, grogne Malcolm.

— On ne sait jamais, ajoute Méli-Jade. Anna a raison. On va le mettre sous le buisson, là-bas.

Les plus vieux tirent le pédalo à l'endroit désigné, en râlant. Anna et Méli-Jade le couvrent de branches afin de le rendre invisible, sous l'œil légèrement ironique de Malcolm.

Nous marchons sur le petit sentier qui serpente dans la forêt. Au bout de quelques minutes, nous parvenons au fond d'un jardin. Un grand chalet se dresse devant nous. Je lève la tête et j'annonce :

— C'est ici. Regardez les panneaux solaires !

— Oui, ajoute Méli-Jade. Et là-bas, il y a une antenne.

— Qu'est-ce qu'on fait maintenant ? demande Anna.

— On fait le tour… évidemment ! répond Hugo.

Nous nous approchons doucement de la façade.

— Comme c'est étrange, chuchote Anna. Il y a des volets en bois aux fenêtres, et ils sont tous fermés. Les gens ont des rideaux à l'intérieur d'habitude, pas des trucs solides comme ça…

— Sauf s'il y a du matériel à protéger, murmure Méli-Jade.

Nous faisons le tour du chalet, mais nous ne pouvons rien voir. C'est alors que Malcolm nous appelle :

— Venez par ici et écoutez.

Je tends l'oreille et déclare :

— Il n'y a rien d'autre qu'un vague bourdonnement.

— C'est justement le bruit caractéristique d'une salle des serveurs. C'est certain que, derrière ces murs, il y en a plusieurs, précise Malcolm.

— Génial, on a trouvé... dit Méli-Jade à voix basse. On va pouvoir rentrer et prévenir la directrice du camp.

Une initiative risquée

Les garçons semblent vraiment surpris de la réaction de Méli-Jade. Ce n'est pas du tout ce qu'ils avaient prévu.

— Tu es folle ! s'exclame son frère. On ne va pas rentrer maintenant que l'on est presque sûrs qu'il y a des pirates informatiques !

— Pourquoi ? demande-t-elle, étonnée.

— Mais parce qu'il nous faut une vraie preuve ! répond Hugo.

Anna se mêle à la conversation :

— Et comment vas-tu la dénicher ?

Hugo met ses mains sur ses hanches et nous regarde avec son air supérieur que je déteste :

— On va rentrer discrètement dans le chalet, la chercher et repartir après.

— C'est super risqué ! s'exclame Méli-Jade.

— Ne t'inquiète pas, lui répond-il pour la rassurer.

Personnellement, je ne suis pas convaincu que l'idée de mon frère soit bonne. Mais comme je connais Hugo, rien ne le fera changer d'avis. Méli-Jade essaie de le décourager :

— Tu comptes entrer comment ? Toutes les portes et les fenêtres sont fermées !

— Ha ! ha ! c'est mon secret...

J'interviens :

— Et que vas-tu prendre comme preuve ?

— On verra bien. Je vais trouver quelque chose, j'en suis sûr.

— Et si tu te fais attraper ? demande Anna.

— Mais non, arrêtez d'être négatifs. Je te l'ai dit, j'ai de la chance.

Mon frère quitte notre abri, puis se dirige d'un pas décidé vers ce que l'on pense être la salle des serveurs. Une fois devant, il chuchote :

— Il doit normalement y avoir une bonne ventilation pour éviter la surchauffe.

— Ce chalet ne peut pas être climatisé, même avec autant de panneaux solaires. Cela demanderait trop d'énergie, complète Malcolm. Il doit donc y avoir un conduit d'aération assez large.

Nous tentons d'inspecter la paroi, à la recherche d'un indice quelconque. C'est difficile, car la lune s'est cachée derrière les nuages, et il faut y aller à tâtons. On n'ose pas allumer nos lampes, de peur d'attirer l'attention des cyberpirates. Nous glissons nos mains sur la surface rugueuse du bâtiment dans l'espoir de trouver une grille.

— Par ici, souffle Méli-Jade. Je sens quelque chose.

Nous nous précipitons tous vers elle. Hugo caresse le chalet du bout des doigts.

— Oui, dit-il, c'est tout à fait ça. C'est un conduit de ventilation. On va le dévisser et je vais m'engouffrer dedans.

Malcolm prend mon couteau suisse et commence minutieusement son travail. Soudain, il s'arrête :

— Tu ne pourras pas passer. Il doit y avoir une hélice au bout.

Hugo semble découragé, car il pensait vraiment pénétrer dans le chalet par ce moyen. Mais en même temps, il ne doit pas

avoir envie de se faire déchiqueter par une hélice dans un sombre tunnel.

— Venez voir, murmure soudain Anna, qui a continué son exploration. Il y a quelque chose qui ressemble à une entrée.

Elle montre une vieille fenêtre au sol du chalet. La vitre est pleine de toiles d'araignée. Je m'exclame :

— C'est la chute à bois ! On peut y vider les bûches pour se chauffer l'hiver. Chez nous, papa l'utilise chaque année en automne.

Malcolm se dépêche de venir. Il inspecte la fenêtre sans trouver d'ouverture. Je lui fais remarquer que les charnières sont assez rouillées pour être démontées. Il essaie de tourner le mécanisme. Il arrive à enlever le cadre afin qu'Hugo puisse s'y faufiler.

Avant qu'il s'y engage, je lui propose :

— Prends mon *walkie-talkie*, ce sera plus sûr. Laisse-le branché afin que l'on puisse

entendre ce qui se passe. Je l'ai mis en mode silencieux, tu ne nous entendras pas.

Il me lance un regard reconnaissant et le range dans sa poche, puis il enjambe la fenêtre :

— Ne vous inquiétez pas pour moi. J'y vais, je ressors et on rentre au camp.

Hugo se laisse glisser dans le noir. J'imagine que la chute n'est pas très haute ni très remplie de bûches, mais nous entendons quand même un juron étouffé.

De notre côté, nous nous retranchons dans le petit bois, pour que le bruit du *walkie-talkie* ne soit pas audible du chalet. Nous nous assoyons directement sur le sol. Il fait frais, et je vois Méli-Jade trembler. C'est un peu inquiétant d'être dans la nuit, surtout que mon frère n'est plus là. Pourtant, je me sens bien. L'air est pur, et une délicieuse odeur de sapin me monte au nez.

C'est la première fois depuis que je suis au camp que je peux apprécier le calme de la forêt.

Prisonnier du chalet

Nous n'entendons presque rien. Hugo semble avancer doucement, sans bruit. Aucune lumière ne filtre du chalet.

— Heureusement que ton *walkie-talkie* a une lampe intégrée, me dit Anna.

— En effet, sinon je ne sais pas comment il y arriverait ...

Malcolm s'impatiente :

— Alors il trouve ? Il faudrait qu'Hugo se dépêche quand même.

— Mais ça fait juste une minute qu'il est parti, remarque sa sœur.

— J'aurais dû y aller avec lui, c'est nul de rester ici à attendre, marmonne-t-il.

— Il est trop tard maintenant, répond Anna.

Nous entendons un peu grésiller le *walkie-talkie*, puis Hugo murmure :

— J'ai trouvé la salle des serveurs. C'est malade ! Il y a plein de trucs super *high-tech* !

Nous ne pouvons pas lui répondre. Malcolm regrette vraiment de ne pas avoir suivi Hugo. Il aurait certainement aimé voir une salle de piratage.

— Je vais revenir, prévient doucement Hugo.

— Il avait finalement raison, dit Anna. C'est allé vite. Il a vraiment de la chance.

— Oui, ajoute Méli-Jade. Et moi, je rêve de retourner dans mon lit. Je commence à être fatiguée.

À ce moment-là, nous entendons un grand bruit dans le *walkie-talkie*. Mon frère n'est peut-être pas si chanceux que ça.

— Qu'est-ce qui se passe ? s'inquiète Anna.

— Je crois qu'il est tombé, répond Malcolm. Il a dû se prendre les pieds dans les fils.

Cela ne semble heureusement pas avoir alerté les occupants du chalet, car un silence s'ensuit. Je soupire de soulagement jusqu'à ce qu'Anna fasse remarquer :

— Regardez, là-haut. Une lumière s'est allumée. Vite, préviens Hugo ! me demande-t-elle.

— Je ne peux pas, on a mis son appareil en mode silencieux. Il n'y a que lui qui peut l'activer.

— Mais il doit se dépêcher de sortir ! s'affole Méli-Jade. Je vois une autre lueur à travers les volets.

J'ai peur pour mon frère, car tout le chalet s'illumine.

Nous commençons à entendre des bruits de pas dans le *walkie-talkie*. On dirait qu'une personne descend un escalier. Une porte claque, puis une voix forte retentit :

— Il y a quelqu'un ?

Hugo ne répond pas. Le silence qui suit ne décourage pas le cyberpirate.

— Oh là là ! gémit Méli-Jade. J'espère qu'il a réussi à se cacher !

Malheureusement pour Hugo, cela n'est pas le cas, car nous entendons :

— Hé, les gars, venez voir ! On a de la visite ! Qu'est-ce que tu fais ici ?

— Rien de spécial, fanfaronne mon frère. Je me promenais dans le coin et je suis tombé ici.

— Tu te crois drôle ? reprend la voix.

— Je me suis perdu et j'ai marché toute la nuit, invente Hugo. J'ai cru que je dormirais un peu ici avant de retrouver mon chemin.

J'avais peur de rester dehors à cause des ours.

Son histoire a l'air plausible. J'espère qu'ils vont le relâcher. Mais cela ne semble pas être le jour de chance de mon frère.

— On va le mettre dans la réserve pour quelques jours. Il en a déjà trop vu, décide une voix autoritaire.

— Non ! lance Hugo qui commence à paniquer. Je vous en prie, je vais aller dormir dehors avec les ours, les loups et tout ce que vous voulez, mais laissez-moi partir.

— Pas question ! reprend celui qui doit être le chef.

Des bruits confus nous parviennent du chalet, ainsi que des cris. On dirait qu'Hugo tente de s'échapper. Une voix ordonne :

— Attrapez-le !

Mon frère crie de rage et menace les occupants du chalet. On entend finalement

une porte s’ouvrir et se refermer brusquement. Hugo a sans doute été enfermé dans la fameuse réserve. Il n’a pas réussi à intimider ses ravisseurs. S’ils ne l’ont pas fouillé, il aura peut-être encore son *walkie-talkie*. Si c’est le cas, on pourra communiquer avec lui.

Anna me chuchote :

— Je n’ai pas reconnu la voix de Bagel. Et toi, Yann ?

— Non, mais c’est normal, il doit sûrement dormir dans le dortoir.

L’appareil grésille de nouveau et nous entendons :

— Et s’il n’est pas seul ?

— Ouais, on doit aller vérifier dehors.

Les cyberpirates viennent nous capturer ! Il n’en faut pas plus pour nous faire paniquer à notre tour. Nous regardons Malcolm. Après tout, c’est lui le plus grand maintenant. Il doit avoir une idée. Je demande :

— On fait quoi ?

— Suivez-moi, on va se cacher dans le bois ! nous ordonne-t-il. Vite, il n'y a pas de temps à perdre. Yann, éclaire-nous pendant quelques secondes afin de repérer l'endroit le plus dense et, après… on court.

Un éclairage rapide nous indique que le côté droit du chalet est idéal à cause des sapins. Nous nous y dirigeons en espérant que les cyberpirates ne nous trouveront pas dans le noir.

Sauve-qui-peut!

On a l'impression d'être dans la forêt amazonienne tellement la végétation est dense. Je chuchote :

— Faites attention à ne pas laisser de traces.

Nous prenons soin de plier doucement les branches afin de ne pas les casser. Anna marche devant moi. Elle ouvre le chemin et propose :

— Il y a des ronces par là, on pourrait se cacher en dessous. En général, c'est moins touffu.

Elle commence à ramper sous l'énorme buisson d'épines. Je me mets à mon tour

par terre et me fais griffer le bras. En nous traînant sous les ronces, nous arrivons à faire de la place à Malcolm et à Méli-Jade.

Nous ne voyons rien au travers du buisson. Il n'y a pas de bruit dans la forêt. Nous ne sommes pas loin du chalet, mais le silence nous enveloppe à l'exception du coassement des grenouilles dans le lac. Puis nous entendons des voix à l'extérieur. Nous ne pouvons pas distinguer les paroles, mais il est évident que les pirates nous cherchent.

— Yann, éteins le *walkie-talkie*, me conseille Malcolm. Il ne faudrait pas que cela nous trahisse.

— Pourvu qu'ils ne trouvent pas le pédalo, murmure Méli-Jade.

Une pensée me donne la chair de poule :

— Et moi, j'espère qu'ils n'ont pas de chien… Je n'ai aucune envie de me faire dévorer par un molosse.

Nous restons là, sans bruit, dans cette position inconfortable. Le temps s'écoule lentement. Je fais la liste de tous les insectes qui fréquentent les buissons et qui pourraient s'infiltrer dans mes vêtements. Anna s'agite près de moi, et j'essaie de ne pas avoir de fou rire. Elle est visiblement la proie incessante de moustiques. Je crois qu'ils aiment sa peau blanche, car ils lui tournent toujours autour. Elle collectionne les piqûres. Nous entendons alors les voix se rapprocher :

— Je suis sûr qu'une personne est passée par là, on dirait que les branches sont abîmées.

— Mais non, ce doit être des animaux. On a regardé au bord du lac. Il n'y a pas de bateau, et personne ne navigue actuellement. Ce n'est pas possible qu'il y ait quelqu'un.

— Oui, mais ce gamin, par où est-il venu ?

Nous retenons notre souffle quand les ronds lumineux des lampes se déplacent dans notre direction. Les cyberpirates continuent de parler :

— Son histoire est peut-être vraie. Il s'est sans doute perdu. En tout cas, il ne sortira pas du chalet de sitôt ... Rentrons maintenant ! Je ne veux pas que l'on nous voie.

— De quoi as-tu peur ? On s'est isolés ici pour que personne ne nous remarque.

— On ne sait jamais. Allons dormir. Notre gros coup est pour demain.

Les deux hommes se redirigent vers le chalet, et le silence revient. Nous attendons un long moment sans bouger. Malcolm sort difficilement de notre refuge et va s'asseoir au pied d'un grand érable. Nous le rejoignons.

— Ouf ! nous avons eu chaud ! s'exclame Anna d'une voix soulagée.

Je réponds :

— Oui, j'ai bien cru qu'ils nous trouveraient.

— Vous avez entendu, nous dit Malcolm. Quelque chose se prépare pour demain. Je me demande ce que c'est…

Méli-Jade ne peut s'empêcher de râler :

— Je me fiche de leurs affaires. J'ai envie de dormir. Et à cause de cet idiot d'Hugo, je ne peux même pas aller dans mon lit. On peut le laisser ici et revenir un autre jour ?

— Ça ne va pas ! rétorque Malcolm. Il faut aller le délivrer !

— Comment ? On monte un autre plan qui va tomber à l'eau ?

— Exactement ! lui répond-il sans se soucier de son ironie. J'ai une idée : Yann, on va aller tous les deux devant le chalet. On fait diversion et on entre libérer Hugo.

Méli-Jade ne semble pas du même avis que son frère, car je l'entends murmurer :

— C'est ça, ton super plan ? Il n'a aucune chance de réussir !

— Et nous ? demande Anna, toujours prête à agir.

— Il vaut mieux que l'on aille chercher du secours, répond Méli-Jade.

Cela m'apparaît plus sage, mais je ne peux pas abandonner Malcolm. Il va avoir besoin de mon aide. Je tends ma boussole à Anna :

— Tiens, prends-la. Je t'ai déjà appris à t'en servir. Rentrez en pédalo. Les coordonnées sont inscrites sur ce papier. J'ai laissé la porte de secours ouverte. Allez immédiatement chercher la directrice. Elle sera furieuse, mais elle appellera la police. Dès qu'on aura délivré Hugo, on se cachera dans les bois. On se montrera quand vous reviendrez avec des secours.

Nous retournons au pédalo. Avant d'embarquer, Anna précise :

— Ne vous inquiétez pas, on va se dépêcher. Laissez-nous un peu d'avance pour partir, puis faites diversion.

— Bonne chance, les gars ! nous encourage Méli-Jade.

Je vois bien qu'elle s'inquiète un peu pour son frère, mais elle cache bien ses émotions.

Avec un léger clapotis, les filles entament leur traversée du lac tandis que nous échafaudons un plan.

L'opération boules de neige

Nous restons un long moment silencieux. Nous regardons partir les filles. Leur pédalo est une tache sombre sur le lac éclairé faiblement par la lune. Le paysage est magnifique. Malcolm me tire soudain de ma rêverie :

— Yann, on y va. Tu es prêt ?

— Qu'est-ce qu'on fait ? On pourrait juste surveiller le chalet pour être certains que personne n'en sort et attendre que les filles reviennent avec du secours. On n'interviendra que s'ils emmènent Hugo ailleurs.

— Et si les responsables ne croient pas les filles et qu'ils ne font rien ?

— Ouais… c'est vrai. Il faut agir. Tu as une idée ?

— Oui, regarde : les panneaux solaires ne sont pas très hauts sur le toit. On va essayer de les casser avec des roches, un peu comme quand on lance des boules de neige sur votre cabanon, l'hiver. S'il n'y a plus d'électricité dans le chalet, les occupants vont sortir. On en profitera pour entrer et on ira délivrer directement Hugo. Il n'y aura plus de courant, donc on ne se fera pas remarquer.

— C'est super dangereux comme plan. Et s'ils nous attrapent aussi ?

— Mais non, ne t'inquiète pas. Au pire, on ira tenir compagnie à ton frère, répond-il en souriant.

J'ai l'impression qu'il se moque de se faire prendre et qu'il trouve même l'aventure excitante. Je le soupçonne aussi de vouloir voir l'installation d'une salle de piratage informatique.

Malcolm se dirige vers la berge et commence à déterrer de grosses pierres.

— Viens, m'encourage-t-il. On va faire un petit tas et le transporter près du chalet. On va ensuite bombarder les panneaux jusqu'à ce qu'ils se brisent. Ne choisis pas des roches trop lourdes, on doit quand même arriver à les projeter sur le toit.

Par chance, la plage est parsemée de galets. Je les apporte discrètement vers le tas de Malcolm. L'opération nous prend un bon quart d'heure, car il en faut assez pour tout casser. Ma peur disparaît peu à peu, et je me sens fébrile à l'idée de commencer l'opération « bataille de boules de neige ».

Malcolm me regarde :

— Prêt ? À mon signal, on lance les roches ! Quand tout le monde sortira pour voir les dégâts, on file délivrer Hugo. On ira se cacher derrière l'arbre proche de la porte.

— OK !

Il tend le bras et lance une pierre. Bang ! Elle rebondit sur le panneau solaire. Cela ne semble pas l'avoir cassé. Par contre, le bruit va sûrement alerter les occupants. Je lance ma pierre. Nous redoublons nos efforts. Les galets tombent sur les panneaux les uns après les autres. L'un d'eux fendille le premier panneau. Après, ce n'est qu'une question de secondes. Les panneaux sont tous abîmés. Nous entendons des éclats de voix. À notre grande stupeur, des lumières apparaissent dans toutes les pièces.

— Plus fort ! me crie Malcolm. Il faut que l'on arrive à mieux briser ces panneaux.

Malheureusement, la porte s'ouvre, et un homme sort en trombe du chalet.

Nous laissons nos pierres et nous courons en direction du bois afin de retrouver notre refuge sous les ronces. Nos poursuivants sont en furie devant notre carnage. Ils nous rattrapent petit à petit. La scène ne dure que quelques minutes et, pourtant, j'ai l'impression qu'elle se déroule au ralenti. Un homme agrippe mon chandail et se jette sur moi. Je vois que Malcolm se fait arrêter également.

— Maintenant, sales gamins, on va avoir une bonne discussion ! s'exclame le chef des cyberpirates.

Je ne dis rien, et Malcolm non plus. Les cyberpirates nous tirent par le bras et nous retiennent afin que l'on ne s'échappe pas. Je me fais brutalement pousser dans la porte d'entrée. Mon ravisseur me lâche quand on arrive au salon. Je tombe par terre sur le tapis. Je relève les yeux, et cinq hommes se tiennent debout autour de nous.

Un homme brise le silence. Il est grand, très musclé, et son regard noir nous fusille sur place :

— Qu'est-ce que vous fabriquez ici ?

Je tremble tellement que je suis incapable de parler. À ma grande surprise, Malcolm commence à révéler une partie de la vérité :

— Notre copain s'est perdu. On sait qu'il est là et on voulait le libérer.

Un petit homme, tout maigre, s'approche tranquillement de Malcolm. Il dit d'une voix fluette :

— Vraiment ? Et comment savez-vous qu'il est prisonnier ? Pourquoi n'avez-vous pas frappé poliment à la porte ?

Son sourire carnassier nous donne des frissons. Il n'y a pas de doute, c'est lui, le chef. Cette fois-ci, c'est Malcolm qui est mal à l'aise. Il ne trouve plus ses mots. Je relève la tête et réponds :

— C'est simple, il n'est pas ressorti.

Le petit homme reprend :

— Simple ? Un gamin entre par effraction chez nous et affirme être seul et perdu.

Et voici que deux autres cassent notre système de panneaux solaires, car ils savent que le premier ne ressort pas. Ce n'est pas une coïncidence.

Sans plus nous regarder, il ordonne au grand costaud :

— Mets-les dans la réserve.

Pris au piège

L'homme-taureau nous prend par le col et nous tire vers un cagibi en dessous de l'escalier. Il ouvre le verrou et nous jette dans le noir. Mes jambes accrochent quelque chose de mou par terre et je tombe directement au sol. Malcolm se cogne la tête sur une marche et gémit :

— Sale brute !

J'entends en même temps :

— Yann ?

— Hugo ? C'est toi ?

— Oui, je suis là depuis tout à l'heure. Je me suis fait prendre. Et vous, que faites-vous là ?

Nous nous assoyons dans le placard. L'espace n'est pas grand. Nos yeux s'habituent lentement à l'obscurité. Des interstices dans les planches laissent filtrer un peu de lumière.

Nous commençons notre récit pour expliquer ce qui s'est passé durant l'absence de mon frère.

Des éclats de voix nous parviennent derrière la réserve, car les murs sont en bois. Nous tendons l'oreille. Une dispute éclate.

— C'est inutile, tout est irréparable.

— De toute façon, il faut quitter les lieux le plus vite possible !

— Tu n'y penses pas sérieusement ! Nous avions quasiment fini.

— Je vous dis que ces gamins ne sont pas seuls. Ce n'est qu'une question de temps avant que quelqu'un débarque ici.

— C'est complètement idiot ! On avait presque terminé !

— Non. Franck a raison, il faut décamper. Et l'équipement ? On en fait quoi ?

— On l'apporte. Mettez tout ça dans des *pick-ups* ! Dans moins d'une heure, on doit avoir vidé les lieux.

— Et les enfants ? Ils vont raconter ce qu'ils ont vu.

— Ouais, très juste. On ne peut pas les tuer, quand même !

— Non, c'est sûr. On va s'en débarrasser autrement.

À ces mots, mon cœur s'arrête de battre. Je me colle instinctivement contre mon frère. Il n'a pas l'air fier non plus. Je crois qu'il n'imaginait pas où ses idées allaient nous mener.

Le petit chef reprend :

— On emmène les gamins. On se replie au camp B. Le chemin est abandonné. C'est à une trentaine de kilomètres dans le bois sur la piste. Arrivés là-bas, on prend le quatre-roues et on va les déposer au fond de la forêt. Avec un peu de chance, ils rencontreront un ours qui se chargera d'eux. Sinon ils mourront de faim avant d'avoir retrouvé la civilisation. On ne peut pas laisser de témoins. Assez discuté, on doit se dépêcher de déménager les serveurs.

Je chuchote :

— Hugo, tu as déjà essayé de sortir d'ici ?

— Oui, mais il n'y a rien à faire, c'est solide.

— Il va falloir qu'on pense à un moyen. Je n'ai pas le *walkie-talkie* ni ma boussole. On ne retrouvera jamais notre chemin dans le bois. Les filles devraient bientôt venir, non ?

— T'as entendu ? répond Malcolm. Dans une heure max, les pirates veulent être partis. Elles ne seront pas là assez vite !

Le bruit du déménagement nous parvient, et nous tentons d'élaborer un plan pour ne pas finir dévorés dans la forêt. Malcolm avance :

— Ce n'est pas si grave si on est abandonnés, on va survivre jusqu'à ce que la police nous repère. Elle a des chiens entraînés exprès.

Malgré tout, ces paroles ne me rassurent pas du tout. Je nous imagine retrouver la civilisation dans une vingtaine d'années, nos cheveux longs, sales et emmêlés. De toute façon, Hugo ne survivrait pas sans sa tablette durant tout ce temps !

Je m'apprête à répondre quand un cri nous fait sursauter.

— On est découverts ! Il y a du monde qui se dirige vers nous. Vite ! Prenez les

données, on part avec les quatre-roues ! Il n'y a pas une minute à perdre !

À ce moment-là, nous sommes plongés dans l'obscurité. Hugo murmure :

— L'énergie emmagasinée dans les panneaux solaires est terminée. Vous avez cassé les autres panneaux. Bravo, les gars !

Il ne peut pas en dire plus, car une bagarre éclate. J'espère qu'Anna et Méli-Jade n'ont pas ramené que la directrice et les moniteurs de camp de jour.

Soudain, une détonation nous assourdit.

— Couchez-vous par terre, les gars, ils ont des armes ! crie Hugo.

Il est malin ! Comment se coucher dans un minuscule placard avec des fous dangereux qui nous tirent dessus ? Nous nous roulons en boule et je ne me sens vraiment pas comme un héros !

La confusion s'ensuit avec des cris et des coups de feu.

Un bruit attire alors notre attention. Il semble que quelqu'un ouvre le verrou qui nous maintenait prisonniers. Je murmure :

— Allons au fond du placard. On ne sait jamais.

La porte s'ouvre doucement, mais nous ne voyons rien, car on nous braque une lampe de poche dans les yeux. Mes idées s'enchaînent à cent kilomètres à l'heure dans ma tête. Je me dis que cette occasion de s'échapper ne se reproduira pas. Je prends mon courage à deux mains et je saute sur notre ravisseur. Je saisis sa lampe et la lui braque dans les yeux. J'entends Hugo s'exclamer :

— Yann ! Qu'est-ce que tu fais ?

En même temps, je m'écrie :

— C'est Bagel ! Les pirates ont eu le dessus !

Bagel

Je ne pense plus à m'enfuir quand j'entends une voix :

— Il n'y a pas de problème, les gars. Nous les avons arrêtés. Vous pouvez sortir. Yann, rends-moi ma lampe.

— Tu es un vrai moniteur ?

Pour la première fois, Bagel me sourit :

— Pas tout à fait... Je ne suis pas un moniteur de camp d'été, mais pas un pirate non plus comme tu as l'air de le penser.

— Qui es-tu dans ce cas ? demande Hugo.

— Je suis un policier. Venez, je vais tout vous expliquer.

Nous émergeons de notre placard et nous voyons le carnage dans le chalet. Les écrans sont cassés, les fils traînent par terre, et il manque certains serveurs. Nous sortons à l'extérieur. Le jour se lève et éclaire cinq personnes menottées, encadrées d'une quinzaine de policiers. Deux hélicoptères blancs aux rayures noires et jaunes sont posés sur le terrain. Ils sont magnifiques.

Je m'exclame :

— Ça alors ! Anna et Méli-Jade ont ramené beaucoup de monde !

— Oui, me confirme Bagel. Quand elles sont rentrées au camp, elles ont réveillé la directrice qui est venue me voir d'urgence.

— Pourquoi ? demande Malcolm.

— Nous savions qu'il y avait des cyberattaques dans le coin. Nous surveillions le réseau depuis plusieurs semaines.

Nous étions parvenus à la conclusion que le cerveau de l'opération était dans le coin.

— Que faisaient-ils ?

— Ils avaient conçu un système de piratage. Quand un ordinateur avait une protection déficiente, le propriétaire téléchargeait à son insu un logiciel qui cryptait toutes ses données. Ces dernières étaient envoyées ici, où les cyberpirates pouvaient prendre leurs identités et les revendre. De plus, ils faisaient payer les propriétaires avant d'accepter de leur rendre leurs données.

— Pourquoi n'êtes-vous pas intervenus avant ? demande Malcolm.

— Les pirates étaient indépendants en énergie, donc difficilement repérables dans le système. Et nous sommes dans une région non cartographiée par les GPS. Nous ne savions pas exactement où ils étaient installés. Nous ne pouvions pas effectuer de recherches intensives sans les alerter. C'est pourquoi je me suis fait engager par le camp de vacances. Il y avait moins de risques que je me fasse remarquer en étant en sortie avec des enfants. Mais j'avoue que cela a soulevé certaines interrogations de leur part, ajoute-t-il en m'adressant un clin d'œil.

Tout en finissant son explication, Bagel se dirige vers l'hélicoptère. Il ouvre la porte et monte à l'intérieur de l'appareil.

— Allez, venez ! Je vous ramène au camp.

Je n'en crois pas mes yeux ! Je vais entrer dans cette merveilleuse machine ! La marche est tellement haute que mon moniteur doit me donner la main pour m'aider. Nous montons comme dans un rêve. Les sièges de cuir sont confortables. Je m'attache immédiatement.

Hugo nous quitte brusquement et retourne dans le chalet en courant. Mais que fait-il ? Bagel s'apprête à enlever ses écouteurs spéciaux pour aller le rejoindre, mais mon frère réapparaît avec un *walkie-talkie* dans la main. Il me le tend :

— Tiens, Yann. Quand je suis tombé tantôt, il a glissé sous une étagère. C'est pour ça que tu pouvais entendre les conversations, mais que je ne pouvais pas répondre. Merci pour tout. Tu es vraiment un super frérot.

Aucun autre compliment de sa part ne pouvait me faire plus plaisir. Venant d'Hugo, cela veut réellement dire qu'il est reconnaissant pour tout ce que j'ai fait. Il se hisse dans l'hélicoptère et s'assoit à côté de moi.

L'hélice commence à tourner, et je vois que les roches du chemin sont projetées sur le chalet. Heureusement, les policiers se sont abrités. Le bruit de l'appareil est assourdissant. Je ne peux partager mon bonheur avec mon frère que par le regard, car nous ne nous entendons pas. Ça y est :

je suis dans le ciel et je survole le lac. C'est un moment magique !

Quelques minutes plus tard, nous atterrissons de l'autre côté. Anna et Méli-Jade nous attendent. Leurs yeux sont cernés de fatigue et d'inquiétude, mais ils brillent aussi de fierté. Bagel vient nous ouvrir la porte. Je me sens un héros tout-puissant en descendant de l'hélicoptère !

Hugo me chuchote :

— Ça valait le coup, non ?

Je lui réponds avec un clin d'œil :

— C'est sûr ! Mais de vraies vacances nous feront quand même du bien, maintenant.

Je n'ai toutefois aucun regret. En plus, c'est décidé : un jour, moi aussi, j'arrêterai des pirates informatiques et je piloterai un hélicoptère !

Épilogue

Après une journée agitée et une nuit reposante, je descends à la cafétéria pour le petit-déjeuner. J'ai la grande surprise de voir Bagel à la table des moniteurs. Dès que notre groupe est au complet, il se dirige vers nous. Il me tend un journal et me demande :

— Yann, veux-tu nous lire les nouvelles de ce matin ?

Je prends l'article et je lis à haute voix :

— *La nuit dernière a été particulièrement agitée pour cinq enfants d'un camp de vacances. Ils ont démasqué un réseau de cybercriminels spécialisés dans le vol d'identité et les rançongiciels.*

Trois des enfants ont été séquestrés pendant de longues heures dans un chalet. Ils ont attendu que les deux autres rejoignent le camp afin de lancer l'alerte. Les policiers sont rapidement intervenus et ont procédé à l'arrestation des suspects. Ces derniers ont eu le temps de détruire plusieurs preuves capitales de leurs délits. L'un des enfants avait heureusement eu le temps de dérober un disque dur. Il l'a remis à la police, ce qui a permis une grande avancée dans l'enquête. Quant à la sécurité du camp, la directrice assure que toutes les règles avaient été respectées. Les jeunes avaient réussi à déjouer les systèmes d'alarme grâce à leur ingéniosité. Ils ont été accueillis en héros par les autres enfants. Nul doute que ces vacances resteront gravées dans leur mémoire…